劉福春・李怡 主編

民國文學珍稀文獻集成

第三輯

新詩舊集影印叢編　第91冊

【嚴恩椿卷】

藐姑射山神人

上海：商務印書館 1926 年 7 月初版

嚴恩椿　著

花木蘭文化事業有限公司

國家圖書館出版品預行編目資料

藐姑射山神人／嚴恩椿 著 — 初版 — 新北市：花木蘭文化事業有
限公司，2021〔民 110〕

130 面；19×26 公分

（民國文學珍稀文獻集成・第三輯・新詩舊集影印叢編 第 91 冊）

ISBN 978-986-518-473-5（套書精裝）

831.8 10010193

ISBN-978-986-518-473-5

民國文學珍稀文獻集成・第三輯・新詩舊集影印叢編（86-120 冊）
第 91 冊

藐姑射山神人

著　　者	嚴恩椿	
主　　編	劉福春、李怡	
企　　劃	四川大學中國詩歌研究院	
	四川大學大文學學派	
總 編 輯	杜潔祥	
副總編輯	楊嘉樂	
編　　輯	許郁翎、張雅淋、潘玟靜	美術編輯　陳逸婷
出　　版	花木蘭文化事業有限公司	
社　　長	高小娟	
聯絡地址	235 新北市中和區中安街七二號十三樓	
	電話：02-2923-1455／傳真：02-2923-1452	
網　　址	http://www.huamulan.tw 信箱 service@huamulans.com	
印　　刷	普羅文化出版廣告事業	
初　　版	2021 年 8 月	
定　　價	第三輯 86-120 冊（精裝）新台幣 88,000 元	版權所有・請勿翻印

藐姑射山神人

嚴恩椿 著

嚴恩椿（1896～？），江蘇寶山人。

商務印書館（上海）一九二六年七月初版。
原書長三十六開。

藐姑射山神人

嚴恩椿 作

商務印書館發行

序

作者不是詩人不過對於詩很有興趣.閑的時候,便寫幾句玩兒,把這比作看電影或聽程艷秋. 他以為一個人在孤零零的當兒,自己去幻造出一個虛無縹渺的世界,使他的靈魂得生息呼吸於其中——這是一個很好等快樂的方法.

下面幾首舊作,志廉說,『格式可惜沒有完全解放.』對於此層,作者是絕對贊成用『活』的語言來表達詩的意思的,不過新詩格式至今沒有成立.在這五六年之中,作者曾試寫了好幾首,自認是失敗;他所讀近人的新詩,其中模仿西詩而得其皮相者雖很多,但這些作品都在『嘗試』時代,無一可自詡為成功. 將

序

二

來中國詩的格式,是從古式的詩或詞中蛻化,還是從西詩模仿得來,再還是根據中國語言的特點,另創一新的格式:這是問題.作者對此,近來正在研究,希望將來可有稍精切詳細的討論,與讀者研究.現在把他用老法寫的記事詩刊行,或者也有參考的價值.

後面幾篇中所述的有酒鬼,有癡人,有『嫉人嫉世,』逃至海外求仙,回來後又避世不見的厭世家.這種思想,說得好些,是超人生觀,說得壞些,便是太消極像胡教授在他哲學史大綱中評莊子哲學所說的,『可使社會國家世界的制度習慣思想永遠沒有進步,永遠沒有革新改良的希望.』原來一個人,雖然他有權去尋覓他個人意想中的樂境,但是對於其他人的已過,現在,將來也有種

種義務同責任,也許最上的快樂便
在他履行他的義務同責任至最高
度時發生的.不過在今日——而尤
其在中國——功利思想熱到焦點
的時候,讀者看了劉夢漁,胡大,同醉
廬裏的幾位先生,也許可在百忙中
尋出幾個社會所不齒及的人,隨著
他們癡一會狂一會,做茶餘酒後的
消遣吧.

　稿本沒有發刊之前,作者曾先請
他的朋友批評校閱.他所最感激而
要在讀者之前申明謝意的是他以
前的先生林孟羣先生,同他的朋友
胡適之,朱經農,徐志摩,江亢虎,同胡
石青等幾位先生.他也記得十五年
前在復旦讀書,聽于右任先生講項
羽本紀的時候,至垓下聞楚歌,別姬
夜走的時候,講者悲歌忼慨,聲淚俱
下,這種景象,深影在作者的腦中,至

三

今猶歷歷如在目前.現在刊行垓下歌時,他也要申明誌謝的.

　民國十五年六月嚴恩椿序於北京太平湖旅次

序

四

目　次

	頁數
藐姑射山神人	1
垓下歌	33
胡大	89
醉廬	101
雜作	109

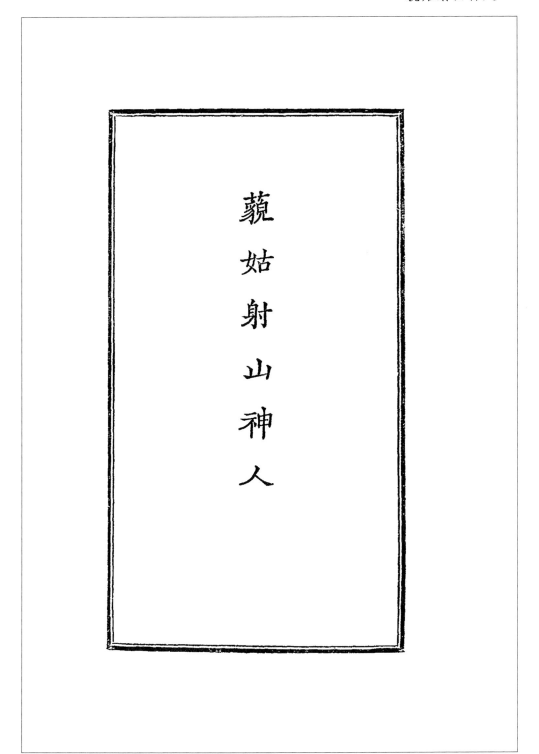

藐姑射山神人

藐姑射之山有神人居焉,肌膚若冰雪,綽約若處子,不食五穀,吸風飲露,乘雲氣,御飛龍而遊乎四海之外,其神凝,使物不疵癘而年穀熟。

莊子逍遙遊

藐姑射山神人

三

藐姑射山神人

藐姑射山有神人.
　高居碧落絕紅塵.
　　肌膚綽約如處子.
　　　世人可望不可親.

此係莊生寓言也.
　是眞是幻誰知者?
　　史乘相傳千百年.
　　　聞者衆矣,明者寡.

滬江公子劉夢漁.
　父故尚書祖副車.
　　家藏珠寶盈千斛.
　　　腹裏經綸萬卷書.

惟劉命乖生不辰.

幼失怙恃長無親.

冶游,任俠,好奇事,

鬭雞,走狗,弄鶴鶉.

一日廣筵招賓客.

笙歌揚抑酒飛白.

酒過三巡人半酣,

公子舉觥離筵席.

鞠躬,稱壽,謝羣賓.

稱有片言願披陳,

『陳辭狂妄君莫笑,

恕我語語出至眞.

『人生斯世如浮萍.

時如流水不滯停.

流水長逝萍何往?

風聲瑟瑟,草青青.

藐姑射山神人

六

『我生寒暑三十易.

　依然故我勞形役.

　　萍乎!萍乎!毋笑我!

　　　我生本如駒過隙。

『惟念萬有兆於無.

　乾坤奧妙藏一壺.

　　大千世界無何有?

　　　塵埃,野馬飛于于!

『世人泥世泥於物.

　物庶,相幻,道淪屈.

　　我今超世物外遊,

　　　世不我予我不怫.

『昔讀<u>南華</u>蛩鳴夜.

　愛其虛無善變化.

　　請從<u>蒙叟</u>樂逍遙,

　　　子身獨訪<u>藐姑射</u>.』

藐姑射山神人

客聞劉言大驚奇.
　瞠目,撟舌曰,『期期!
　　千金之軀須珍攝.
　　　子言荒誕宜細思.』

公子聞諫低頭笑.
　再三申謝謙年少.
　　惟稱去志久已決.
　　　名言雖雋難同調.

翌晨客去召廝奴.
　開倉,啓廩,除賦租.
　　斬關散盡黃金庫.
　　　廄中牽去白龍駒.

公子有劍曰嘯天.
公子有琴曰龍淵.
　公子亦有僮與妓.

八

藐姑射山神人

燕小妓兒奚曰僮.

琴劍無主空靑綺.
劍贈書僮琴贈妓.
妓旣抱琴入空山.
僮則拔劍自刎死.

散財割愛買巨舟.
陳粢積糒備遠遊.
舟人三十盡亡命.
媅人媅世無侶儔.

舟行公子披綺羅.
衣寬,帶博,冠巍峨.
遙指岸前雲樹遠,
放聲擊棹望洋歌.

『離鄉井兮別故知;
別故知兮我心悲

九

我心悲兮奈若何？

　　遙指雲樹兮不之深思．

『雲樹遙兮舟且遠；

　　舟且遠兮日將晚；

　　日將晚兮水迢迢；

　　水迢迢兮我不之返．

『父若母兮生我躬；

　　師若友兮啓我蒙；

　　知所休兮毋回憶，

　　毋回憶兮四大皆空．

『舟容與兮水接天；

　　水接天兮海如煙；

　　海如煙兮風飄飄；

　　風飄飄兮我欲登仙．』

公子飛航出巨波．

藐姑射山神人

十

心通雲漢氣吞河.
晨與攀纜觀浴日.
夜闌擊楫數星多.

海水汪洋接太虛.
白鷗習習水中居.
長鯨見背噴泉滂.
海波吐沫出飛魚.

舟行大洋日復日.
風送飛帆如箭疾.
行行不見有神山,
舟人不靜占凶吉.

忽然天外起颶風.
波如山立冲大空.
帆崩,檣斷,舟益覆.
舟沉,人葬浪濤中.

藐姑射山神人

公子精魂出軀殼．

軀死尸解不自覺．

青光一道向天飛。

風鳴如聆鈞天樂．

靈飛如絲不知時．

登雲，入霧，天風吹．

扶搖直上三千里、

高攀玉闕摘斗箕．

飛行而進程忽礙．

雲霧重重霞彩環．

雲霞微捲峯巒見．

大書藐姑射之山！

十二

公子佇立笑軒渠．

樹上靈鷲呼『夢漁！

神人知有遠客至，

命我引導作前事．』

徑中花草色支離;
　杜芳,蘭若,與靈芝.
　　客過風生,花笑語,
　　　搖曳有姿致迎詞:

『今晨蜂來頻拍翅,
　告我當有遠客至.
　　客來怱促失迓迎,
　　　一瓣芬馥庸有意.

『我生野外自菁菁.
　晨餐露液吸日精.
　　平生最怕煙火氣.
　　　客來無禮惟心清.

『願客鄭重入園林,
　謁見神人傳好音.
　　有緣來日再相見.

挹我清芳親我心。』

花言未竟鷩曰,『居!』
　公子匍伏不敢噓。
　　搔頭微視神亭立,
　　　依稀出水玉芙蕖。

凝睇再視瓊飛華。
　神目如星,髮散霞;
　　雪峯雙聳頂點絳;
　　　含苞欲放牡丹花。

神聲清澈甜如蜜。
　稱客遠來何憚慄。
　　神猶人也,人本神:
　　　神人一二,二而一。

婆娑樹下一蝴蝶,
　翅如車輪,鬚如楫。

藐姑射山神人

十四

神人拍蝶笑而呼，

『此我傳者，客毋慴』．

公子聞言氣屏息；

低頭拱手謹以俟；

植立少頃，啓朱脣——

未語拂體正顏色．

『弟子三生緣法深，

脫塵，超世，入仙林．

塵世茫茫太齷齪，

願神垂顧賜金箴．

『造物創世，闢大鈞．

下爲鳥獸，上爲人．

人來何自？去何之？

乞示後果與前因．』

神人聞問揮其手，

藐姑射山神人

玉筍尖尖指<u>北斗</u>.

　瞑目視<u>劉</u>呼曰,『嘻!

　　請視目前何所有?』

公子回顧,轉雙瞳.

　山林無有一大空.

　　茫茫無際,冥如也.

　　　太和元氣,氣鴻濛.

鴻濛變化,氣如流;

　氣流迴轉繞四周;

　　金光萬道明眩目;

　　　飛出無量數星球.

星球之一為太陽,

　陽星閃爍吐毫光,

　　毫光八道先後出.

　　　依次,列序,佈四方.

十六

八大序三爲地星,
　地星疾轉聲如霆,
　　星轉愈急,體愈縮.
　　　水流澎湃,山成形.

山高巍巍,水洶洶.
　四廓澄清雲氣濃.
　　雲濃化雨,雨散珠.
　　　珠珠落水聲如鐘.

山陂水淺爲平原,
　原曠無垠,荒渾渾.
　　陰陽調判雨水潤.
　　　荒原忽見碧蘚痕.

蘚痕生草,草生花;
　花開結果,果發芽;
　　芽長成樹,樹成林;
　　　林木森森天蔽遮.

十七

藐姑射山神人

十八

公子視已揚其眉，
　高擎玉手,稱神奇.
　『大觀止此無復加,
　　請再點化啓我知.』

神笑不語再揮手,
　山明,水暗,林風吼.
　　草端忽見細胞生.
　　蠕蠕而動兮牝牡.

細胞入水成游魚,
　沉浮上下水中居.
　　魚入太空爲飛鳥,
　　鳥大於鵬吞水豭.

爾時景色大離奇.
　樹高百丈葉下垂.
　　上有飛龍吞雲霧,

下有千歲大烏龜.

歷時未久劉回首.
　景色忽殊龜龍走.
　　有馬五趾小於羊,
　　　虎,豹,獅,象,狼與狗.

山陂樹上有老猿.
　攀枝,擲果,笑語喧.
　　猿跳落地搖身變,
　　　人也非猿洞邊蹲!

人生,獅象悉慴伏.
　衣皮,茹肉,逐白鹿.
　　忽然景色又變搖.
　　　人死,屍橫,風慘肅.

屍腐骨朽化青泥.
　泥生綠草,草生稀.

稀更生蟲,蟲化蛹.

　　飛螢散火月光底.

公子視訖曰,『悟矣!

　大道微微近如咫.

　　世人求神失其神.

　　　其道在彼不在此.

『物象不生亦不滅.

　天理循環無斷絕.

　　來自來處,去處去.

　　　看透此旨長生訣.

『人道始終已備聞.

　惟生有難擬再問.

　　神人無吝金玉言.

　　　重啓我恐垂藜訓.

『人道消長通以亨.

人功名之日文明．
　文明何物?底何極?
　　我心塞也願指盲.』

神人啓口裂櫻桃,
　鶯聲嚦嚦動霜毛.
　　『夢漁有道廣智慧,
　　　回頭再看慎毋號.』

公子回視都且雅.
　靈山忽變爲原野.
　　野有蠻人三數羣.
　　　聚族穴處荒山下.

蠻人聚處成部落.
　鹿脯,馬酪,張氈幕.
　　酋執石斧率其羣.
　　　登山涉水越險壑.

游收未已見屯田.

蠶,桑,穀,稻,陌連阡.

牧童牛背橫短笛.

農婦歸家鋤在肩.

屯田再進變商場

絲,皮,布,米,來四方.

市儈爭逐什一利,

爭執丈,斛攘斗,量.

商場再變成都市.

市有樓,閣,園,林綺.

雅典,齊比,哥林多,

孟飛,羅馬,加薩紀.

都市再變見古寺.

教皇執杖抱神器.

禮拜鐘鳴震萬邦.

教民長跽禱天使.

観姑射山神人

二十二

平空忽起十字軍!
　旌旗蔽日,甲如雲.
　　回民裹首衣白衣;
　　　牟月旆揚馬吐氛.

教兵過後見工廠.
　廠場十里長且廣.
　　汽笛嗚嗚,機軋軋,
　　　工人如鯽貌慌惘.

紐約高樓,倫敦橋.
　樓高插雲,橋石雕.
　　行者,騎者,駕車者,
　　　紛至雜沓如湧潮.

公子瞑目眈眈視.
　人羣進化蓋如是.
　　社會由簡而複雜.

視已不禁一莞爾.

大風忽起雲飛揚!
　土崩,瓦解,日無光!
　　樓,閣,飛橋均烏有,
　　　身左茫茫一戰場!

砲聲隆隆,如雷霆!
　槍火閃閃如流星;
　　戰壕密佈如蛛網;
　　　飛艇出沒如蜻蜓.

夜戰方酣,月未斜.
　紅光萬道舞龍蛇.
　　人聲喧沸驚天帝.
　　　戰車四出,彈飛花.

戰事未休,戰地斑.
　征兒戰死夢中還.

藐姑射山神人

二十四

滑鐵盧前渠悉血；

瑪恩河畔骨如山.

刹那忽至四騎人｜四班牙人V.

Blasco Ibanez 有書曰『四騎人』(„Four

Horse men of Apocalypse")

磨牙,吮血,怒目瞋.

荒墳纍纍世界墟,

鬼號,遍處舞飛燐.

公子見狀悚然懼.

縠觫不前頻返顧.

強自按神,神志清.

心田透澈恍然悟.

佇立不動噓曰,『噫!

我今而後得眞知.

文明險物殺身器.

我爲之懼,不爲悲.』

藐姑射山神人

公子言覺視神人.

　神貌懍懍,不可親.

　　公子伏地目視鼻.

　　　稱再有辭願申陳.

『人之身性得天授.

　性爲精靈,身爲獸.

　　獸性未除獸欲奢.

　　　文明爲器人爲寇.

『惟聞道有善,美眞.

　三者達到人卽神.

　　三者究係何種物?

　　　請再降祜爲引申?』

神聞劉言色然喜.

　嘉劉聰明悟妙旨.

　　稱『再從我游太虛.

二十六

示爾眞境揚內美.」

公子依旨覾靈山.
山色蒼蒼山石頑.
紫氣祥光出深谷.
香煙繚繞見聖顏.

佛頭舍利放靈光;
耶穌聖服白相緗;
老子騎牛過函谷;
仲尼鼓瑟鳳飛翔.

聖人出世生祥雲:
雲華如蓋射氤氳.
長松百尺,芝草麗.
東方緋絳,日初曛.

仙女出浴蓮花池,
赤身揚舞水之湄,

藐姑射山神人

二十八

水光舞彩成一片，
　池內青蓮瓣瓣歆。

仙人舞罷來鶴乘，
　中有詩人玉軾馮——
　　太白金星,杜工部,
　　　莎士比亞,密爾頓。

詩人出乘,下鸞車,
　高歌,大步,散胡麻,
　　歌聲響入雲端裏,
　　　落英繽紛天散花。

公子覷已憙若狂;
　迎風獨立千仞崗;
　　仰首視天,天羿頰;
　　　身如插翅欲飛颺。

再覷神人光四溢.

謝神點示開心室.

　　『善卽是美,美卽眞,

　　　樂土康莊道爲一.』

　　神人微笑弄花枝,

　　　稊生得道無所遺.

　　　山頭忽聞歌嘹喨,

　　　　但聞歌聲不知誰.

『藐姑射山何處尋?

　　煙波渺渺,海沉沉.

　　　歸來歸來乎爾遠

　　　方人之迷惘兮!

　　　　世道崎嶇山岑嶔?

『藐姑射山何處尋?

　　天高,日遠,白雲深.

　　　歸來歸來乎爾遠

　　　方人之迷惘兮!

人心不古,日誨淫.

藐
姑
射
山
神
人

『藐姑射山何處尋?
　遠在天涯,近在心.
　　歸來歸來乎爾遠
　　方人之迷惘兮!
　　　湔爾塵心隨我吟.』

公子聞歌五體投.
　聲聲稱願把心脩.
　『世事已往成過去.
　　而今而後伴神遊.』

神聞劇言脣忽哆.
　『嘮叨而言何為者?
　　盍視身下為何物?』
　　赫然公子死屍也!

三
十

林園忽隱!神山淪!

大風如吼轉鴻鈞!

倏忽風行十萬里,

　身在春申黃浦濱!

公子遯迹入山去,

不語世人不示處.

　神山神人何處尋?

人言各殊無根據.

民國十年春,某晚九時,余與金龍孫同
出華盛頓國會圖書館.是晚月色模糊,
迎面國會白石之建築,與背景灰色之
天空,混為一色.自由神像巍立其上,如
在雲端.余忽語龍孫曰,『莊子逍遙游
中藐姑射山神人一段,一絕妙詩題也!』
金君笑而答曰,『然!』十二年三月,大學
功課旣竟事,狂喜如脫籠之小鳥,亟欲
於大空中一奏其胸中蘊積巳久之歌
曲,工拙所不計.二十日作胡大,未成,狀

上得句曰，『鬥雞走狗弄鵓鴣，』『廄中牽
去白龍駒，』『子身獨訪藐姑射』等，因造
意作藐姑射山神人，旬日而脫稿，以示
友人，相顧失笑。及今讀之，當日二三子
縱談放傲情事，恍惚如在目前，刊之以
留紀念，并寄示龍孫諸君。恩椿識。

藐姑射山神人

三十二

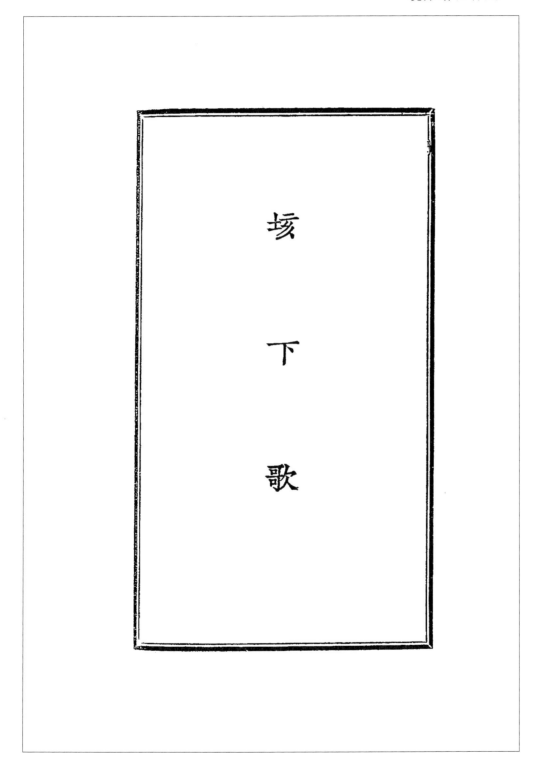

埃下歌

漢兵盛，食多．項王兵罷，食絕．漢遣陸賈說項王請太公，項王弗聽．漢王復使侯公往說項王，項王乃與漢約，中分天下——割鴻溝以西者爲漢，鴻溝以東者爲楚．項王許之，即歸漢王父母妻子，軍皆呼萬歲．漢王乃封侯公爲平國君，匿弗肯復見曰，『此天下辯士，所居傾國，故號爲平國君．』項王已約，乃引兵解而東歸．漢欲西歸，張良陳平說曰，『漢有天下大半，而諸侯皆附之．楚兵罷食盡，此天亡楚之時也！不如因其機而遂取之，今釋弗擊，此所謂養虎自貽患也．』漢王聽之．漢五年，漢王乃追項王，至陽夏南止軍．與淮陰侯韓信，建成侯彭越，期會而擊楚軍．至固陵，而信越之兵不會．楚擊漢軍，大破之．漢王復入壁，深塹而自守，謂張子房曰，『諸侯不

垓
下
歌

三十六

從約,爲之奈何?』對曰,『楚兵且破,
信越未有分地,其不至固宜.君王能
與共分天下,今可立致也.卽不能,事
未可知也.君王能自陳以東傅海,盡
與韓信;睢陽之北至穀城,以與彭越,
使各自爲戰,則楚易敗也.』漢王曰『善.』
於是乃使使者告韓信彭越曰,『幷力
擊楚!楚破,自陳以東傅海與齊王;睢
陽以北至穀城與彭相國.』使者至,
韓信彭越皆報曰,『請今進兵!』韓信
乃從齊往,劉賈軍從壽春並行,屠城
父,至垓下.大司馬周殷叛楚,以舒屠
六,舉九江兵,隨劉賈彭越,皆會垓下,
詣項王.項王軍壁垓下,兵少食盡.漢
軍及諸侯兵圍之數重.夜聞漢軍四
面皆楚歌,項王乃大驚曰,『漢皆已
得楚乎?是何楚人之多也?』項王則
夜起飮帳中,有美人名虞,常幸從;駿

馬名騅,常騎之.于是項王乃悲歌忼慨,自爲詩曰:『力拔山兮氣蓋世,時不利兮騅不逝,騅不逝兮可奈何?虞兮虞兮奈若何?』歌數闋,美人和之,項王泣數行下,左右皆泣,莫能仰視.于是項王乃上馬騎,麾下壯士騎從者八百餘人,直夜潰圍南出馳走.平明,漢軍乃覺之,令騎將灌嬰以五千騎追之.項王渡淮,騎能屬者百餘人耳.項王至陰陵,迷失道,問一田父,田父紿曰:『左』左乃陷大澤中,以故漢追及之.項王乃復引兵而東,至東城,乃有二十八騎.漢騎追者數千人,項王自度不得脫,謂其騎曰:『吾起兵至今八歲矣,身七十餘戰,所當者破,所擊者服,未嘗敗北,遂霸有天下,然今卒困於此:此天之亡我,非戰之罪也.今日固決死,願爲諸君決戰,必三勝

垓下歌

三十八

之．爲諸君潰圍，斬將，刈旗，令諸君知天亡我，非戰之罪也．』乃分其騎以爲四隊，四嚮．漢軍圍之數重．項王謂其騎曰，『吾爲公取彼一將！』令四面騎馳下，期山東爲三處．于是項王大呼馳下，漢軍皆披靡，遂斬漢一將．是時赤泉侯爲騎將，追項王，項王瞋目而叱之，赤泉侯人馬俱驚，辟易數里．與其騎會爲三處．漢軍不知項王所在，乃分軍爲三，復圍之．項王乃馳，復斬漢一都尉，殺數十百人，復聚其騎，亡其兩騎耳．乃謂其騎曰，『何如？』騎皆伏曰，『如大王言．』于是項王乃欲東渡烏江．烏江亭長檥船待，謂項王曰，『江東雖小，地方千里，衆數十萬人，亦足王也．願大王急渡，今獨臣有船，漢軍至，無以渡．』項王笑曰，『天之亡我，我何渡爲？且籍與江東子弟

八千人渡江而西,今無一人還,縱江東父兄憐而王我,我何面目見之?縱彼不言,籍獨不愧于心乎?』乃謂亭長曰,『吾知公長者,吾騎此馬五歲,所當無敵,嘗一日行千里,不忍殺之,以賜公.』乃令騎皆下馬步行,持短兵接戰,獨籍所殺漢軍數百人.項王身亦被十餘創,顧見漢騎司馬呂馬童曰,『若非我故人乎?』馬童面之,指王翳曰,『此項王也.』項王乃曰,『我聞漢購我頭千金,邑萬戶,吾爲若德.』乃自刎而死.

史記項羽本紀

三十九

垓 下 歌

垓下今在安徽靈壁縣,

出城東南里許可望見.

　憶昔二千年前楚漢爭雄時,

哀哀小民七載分離苦血戰.

　丁壯行旅,老弱轉溝澮,

颷舉雲動,仕者不仕,農者輟其佃.

　天下紛披原來爲二人,

沛公項王均是人中之俊彦.

　嗚呼!勝者天助宰天下,

收者鹿死人手,幽魂無訴荒隄戀.

　天欲亡人戰無功,

歷史與,亡,盛,替不値識者之一睿!

大漢之五年,

沛公兵盛,食多,氣象森萬千.

　項王百戰霸天下,

垓
下
歌

兵罷,食絕,強弩之末控弓弦.

　鴻溝旣劃天下分,

西爲漢邑,東楚田.

　張良陳平說楚宜急擊,

養虎遺患智者曰不然.

　淮陰建成擁兵不服命,

許以共分天下,則曰,『願會擊楚,敬

取羽首大王前!』

　漢軍出自壽春九江會垓下,

浩浩漫漫一如驚濤駭浪赴百川.

夜涼垓下月明時,

郊外橫陳百萬師.

　連營長廣可百里,

漫山漫野皆旌旗.

　刁斗嚴明神鬼泣,

森森殺氣沖天池.

　河山縈繞,佳哉古戰場!

萬里無雲,長空一片碧玻璃.

四十二

項<u>王</u>之衆八千皆貔虎,

高壁,堅壘,一隅之土成天府.

　後有高岡,前深川.

進可以攻,退可聚.

　不揚旗;

不飛羽;

　不鳴金;

不擊鼓;

　精壯藏諸濠之中,

牆隅堵隙皆伏弩.

　嗚呼!壯者百戰亦疲矣!

疲耳,疲耳,滿腔血氣如何淹淹無申

吐?

　哀哉勇士荼色猶思振臂作一戰,

一行一止皆有步伍中規矩.

王也舉爵寶帳中,

唔,嗚,叱,咤聲如鐘.

四十三

虬髯如戟，眉如劍，
重瞳閃爍露英風．
　鐵盔，鐵甲，豹尾鞭，
玄袍團繡紫金龍．
　執戟侍兒左首立，
燈光如晝酒光紅．
　『天下紛紛今夕一杯酒，
八年罪孽在孤之一躬！』

皷鼟鼟，
舞盤旋，
虞姬絕色貌如仙．
　項王視姬一聲歎，
上通碧落下九淵．
　『嗟乎！天下英雄惟某籍．
天下美姝無姝更比彼姝妍！』

虞姬罷舞整羅衣，
袖掩香顋一笑微．

『王乎！今夕色不豫，
眉痕深縐有愁思.
　妾也感王恩寵重，
婦德曰從他不知.
　方今天下魚龍雜遝戰雲飛，
萬里河山戎馬馳.
　大王中流之砥柱，
身系社稷之安危.
　願王睿顧蒼生念民命，
政躬康泰履安夷.』

項王舉爵微嘆息，
諭姬斜坐王之側.
　『妃子花顏天上人，
人間未有此絕色.
　此生隨我歌舞陣行間，
來生深願再做雙飛翼.
　惟談疆場戰事大咎莽，
姬其毋問，姬其默.』

垓
下
歌

王言至此揚其聲.

豹眼圓瞠,四座驚.

『嗟乎!造化譎詭不足恃,

天者善妒,遇人多不平.

憶我初起時年二十四.

慨秦不德,八千子弟渡江行.

爾時繩樞,甕牖之子起大澤,

揭竿,斬木,紛紛天下皆刀兵.

孤則鉅鹿一戰諸侯慴,

天柱將傾隻手擎.

馳騁中原今八載,

羣小息迹四海清.

茲乃兵少食絕困於此,

哀哉困於枯涸之長鯨!』

王乃回首呼侍兒,

舉爵一飲盡十觥.

仰首視天再長歎,

歎聲悲壯,帳中刀劍皆鏗鳴.

四十六

『嗟乎！彼蒼如以天下寵錫泗上
　亭長劉季邦，
予請授季天下敬從天命不與爭！』

虞姬粉臉起紅雲，
櫻口微張星眸瞋．
『嗟乎！大王之言何沉痛！
劉季之才足守閫．
　憶昔大王初入關，
大軍如雲集鴻門．
　一檄召季，季卽至，
王則遇之以上賓．
　爾時大王東嚮，亞父南嚮，劉季北
　嚮坐，
森森劍戟一如東海之晨氛．
　健兒階下三通鼓，
堂上酒過巳三巡．
　項莊壯士拔劍入爲壽，
游龍夭矯閃閃射季身．

季時窘狀大可笑，
屈身鼠伏不敢伸。
　惜乎大王當日不用亞父言！
季則得諸狡黠，王則失諸仁。

『抑聞勝負兵家之常經，
壯者不以一敗囘其軷。
　大王智勇冠三軍，
豪氣貫日星。
　漢軍雖小勝，
王則稍事休養，長驅再進如倒瓶。
　王乎王乎！玉體宜珍攝！
戎務倥偬，幸毋辛勤過度勞其形！』

王閒姬諫笑曰，『嘻！』
不意奇言出自姬！
　姬以鴻門不斬沛公爲我失，
抑姬弱女對於國事未深思。
　我昔與季同僚事義帝，

我之捉季不雷縛一鷄.

　奈何諸侯宴上用刺客,

不效文,武,周公,而效荊卿,聶政爲?

　男兒處世貴磊落,

大仁大勇此非亞父之所知.

『若夫勝敗用兵之常事,

我也轉戰經年難道不明此?

　惟人處世如入賭錢場,

環而觀者翹足企首,咸思一擲利

倍蓰.

　盆兒搖,

骰兒止.

　勝者得千金,

負者潦倒死.

　倖耳!倖耳!儌倖耳!

失何足悲?得亦何足喜?

　姬乎!善事爾裙釵!

殺盡人頭我疲矣!』

垓
下
歌

虞姬欲語淚灘灘，
雲鬢斜欹，粉頸垂。

『大王丹心如鐵石，
可憐臣妾太情癡。

妾曾屢隨大王出生入死親矢石，
萬里疆場匹馬飛。

亦曾夜深人靜，羽騎驚傳報，
紅粧未整，香閨已繞九重圍。

王豈不憶屏開翡翠諸侯會，
酒綠燈紅熊掌肥？

亦豈不憶花晨月夕長相對，
春風無賴惹珠帷？

嗟乎！人功有限，天難挽，
人卽無能天亦慈。

王爲英雄，妾爲當世奇女子，
彼蒼必欲置我絕處將何爲！』

項王不語涕泫然。
帳中寂寂，中天朗朗，月遲遲。

五十

忽然四廓歌微動，

項王側耳噓曰『噫！』

〔歌一〕

『桂樹采采兮荔支焦黃；

　胡雁南歸兮月下悲鳴；

　　秋風颯颯乎蘋末兮，

夜何涼！夜何涼！

　　嗚呼！何處笛聲之悽楚而動人兮？

征兒思故鄉！

〔副歌〕

『思故鄉！

　思故鄉！

　　思我爹！

思我娘！

以暴易暴兮亂方長！

　誅彼獨夫兮，

嗚呼！還我故鄉！』

〔歌　二〕

『衡山巍巍兮湘水湯湯；

沅澧瀿浚兮芷蘭芬芳；

　秋月皎皎於中天兮，

夜何長！　夜何長！

　嗚呼何處笛聲之悽楚而動人兮？

征兒思故鄉！

〔副　歌〕

『思故鄉！

思故鄉！

　思我爹！

思我娘！

以暴易暴兮亂方長！

　誅彼獨夫兮，

嗚呼！還我故鄉！』

項王聞歌曰，『嗚呼！

漢豈已得楚軍乎?
　　噤爾聲!
違者誅!』
　　帳中赫然靜以肅!
帳外歌聲四處唱:
　　忽在林之中;
忽在山之隅;
　　旣在岡北幽澗裏;
又在帳右之廣途。
　　歌聲清激如切玉;
圓潤者滾珠;
　　高者直上九空驚雲鶴;
悲者孀婦哀啼,騷客吁。
　　項王威凜凜,
目瞿瞿,
　　鎮靜如泰山,
右手撫昆吾.
　　良久歎而曰,
『漢豈已得楚軍乎?』

垓
下
歌

王乃回顧視虞姬，

欲言又止音彌悲.

『某也豪縱好任俠，

不甘懦戀效小兒.

平生所愛惟二物，

我姬之外更有寶馬名烏騅.

方謂橫掃中原賴我一匹馬，

萬里江山不值我騅之一馳.

回來則將天下擲裙下，

顧願博得美人一笑稱我奇.

嗚呼大事至今則已矣！

姬毋啼，

聽我解.

五
十
四

〔歌〕

『力拔山兮氣蓋世！

時不利兮騅不逝！

騅不逝兮可奈何？

虞兮虞兮奈若何?』

項王歌罷淚如瀉,
左右皆泣數行下.
　　虞姬銜淚叩聲和,
梨花帶雨風輕惹.
　　帳外忽然又起楚歌聲,
歌聲嗚嗚儵忽遍四野.

〔歌三〕
『彼蒼幸災兮天禍未央;
　人為刀俎兮我為牛羊;
　　天下大勢之已去兮,
我豈盲? 我豈盲?
　　不聞戰鼓鼕鼕與金鐵之鏗鏘兮.
嗚呼思故鄉!

〔副歌〕
『思故鄉!

思故鄉！
　　思我爹！
思我娘！
以暴易暴兮亂方長！
　　誅彼獨夫兮，
嗚呼！還我故鄉！』

項王擲案起曰，『止！
漢已得我楚軍矣！
　　鄙哉彼士夫！
臨危乃惜死．
　　可笑我丈夫！
啼泣作女子．
　　備我騅！
授我矢！
　　將戟來！
弧在此！
　　壯者隨我行！
懦者歸漢不強委！

垓下歌

五十六

待我橫戈直入漢軍中，

劉季，劉季，天下英雄爲我抑爲爾？

嗟乎！老蒼誠德彼漢家，

惟籍倔強不能一挫卽自摧。

勇者先請試戈鋩，

珍哉天下在某之一指！』

虞姬襝衽項王前，

『王志已決，臣妾不敢延。

臨行還飲三爵酒，

聊表臣妾之拳拳。

一爵賀王之戰績；

二爵謝王八載之垂憐；

三爵願王來世再相見，

在地連理，在天願作比翼之鶼鶼。

行矣大王！事急矣！

妾雖無勇，報王則有一龍泉！』

項王接酒淚雙滴，

垓下歌

回頭傳令啓堅壁.
　壯士隨者八百人,
人皆百戰勞功勳.
　虞姬移裾送王行,
嫣然一笑不見慼.
　王也大步不作聲,
與姬相隔一重冪.
　回身呼曰,『我去也』
寶帳無聲空寂寂.

烏騅烏騅千里駒,
捉日追風一丈軀.
　駒聞戰皷嚙其勒,
以身撼柱欲奔趨.
　昂頭一嘶林木震,
龍睛兩顆夜明珠.
　王旣騰身,馬人立,
鐵蹄點地碎珊瑚.

五十八

夜色蒼蒼山氣淸,
月光高照漢家營.
　韓信彭越兩軍成犄角,
中則漢王親將,帳中十萬皆精兵.
　刁斗動,
鼓角鳴;
　風飄飄,
赤幟明,
　連營延縣長蛇繞山曲;
星河隱隱,彌漫百里戰雲橫.

項王山左得鳥道,
啣枚疾走如電掃.
　輕騎百匹渡山南,
林端風起驚宿鳥.
　山石卓犖阻征人,
刀光霍霍斬茂草.
　山中微聞漢軍呼,
澗邊亦見敵之堡.

垓
下
歌

潰圍而出漢不驚,
曙色稀微日未杲.

王乃立馬山頭回望楚軍營,
蒼煙杳杳,曉風曙色馬前迎.
虬髯戟起,蓬蓬風裏舞,
商星未落,寶戈閃閃吐毫光.
某處為堅壁;
某處為長城;
某處伏壯士;
某處叩金鉦;
某處虞姬歌舞地,
笙歌宛轉,依稀猶自囀流鶯.
嗚呼!營寨如舊亡其帥,
荒郊黯黯,迎風只賸一飛旌!
王也一視不忍再三視,
騅亦長嘯如飛山下趨.

晨烏啼山枝,

六
十

陂有百騎馳.

　項王渡淮水,
及至陰陵失道迷.

　哀哉楚士卒,
僕僕皆大疲.

　當王初走有馬八百匹,
及至東城存者只有廿八騎.

漢聞項王已出走,
分兵追擊利急取.

　大將灌嬰率衆五千人,
兼程緊尾楚之後.

　項王紿於一田父,
回兵未及故爲漢所有.

　劉項乃決最後之雌雄,
兩軍會於九頭山之阜.

項王屯衆山之巓,
山石崎嶇難馳騁.

將有遺其巾；

亦有遺其屍；

戰馬皆疲乏；

壺中亡一矢.

惟士顛蹶氣愈張,

敵軍不屑諸將之一視.

嗚呼！項王之衆一當千,

成敗之機不龜而決矣！

降則生,

戰則死.

生死二者何去而何從？

項王之衆則曰,『死！死！死！』

漢軍雲集山之阿,

有將帶紫披錦羅；

有將揚刀躍劣馬；

有將執劍持金戈；

桓桓士卒來自齊與魯；

關西壯士東逾葱嶺又潭沱；

垓下歌

六十二

健兒亦有來自城之北，

長沙漠漠，朔方運輸用略駝．

　旗幟鮮明，曰韓，曰彭，曰周，曰

　劉賈，

衣盔煊赫，遙望一如天上之星河．

項王回顧曰，『諸君！

盡視彼漢軍？

　壯者劉季有今日，

謀臣如雨，將如雲．

　季誠足以自豪矣，

應感帝德并賀成事有前因．

　惟惜竊取天功智不智，

叛盟，棄信，不足以言仁．

　不知再憶當年狼狽否，

廣武軍前欲得一杯肉膾報嚴親？

『諸君與我共事計八年，

汗馬功勞應留靑史編．

垓
下
歌

六十四

　　所攻者破;所擊服;

衝鋒;折敵;摧精堅。

　　身經大小七十戰,

陣中曾未一讓敵人先.

　　嗚呼!被困今乃第一次,

此乃天!此乃天!

　　十百劉季不足以亡我

我戰無罪,罪者天!

『今與諸君期,

戰必三勝之。

　　一勝潰圍出;

再則斬將;三刈旗。

　　蟊螽之眾,原不足一戰,

惟竊有私願為諸君披.

　　一欲示君亡我者天非戰罪;

二欲酬報諸君八載之深知.

　　賈我餘勇戔戔不足述;

君隨我久,諒不以此為我嗤.』

王乃分其軍爲四,

士卒前後有序次.

　三路期會山之東,

陣中出入有戒備.

　將軍聞令應曰『諾!』

王則不動若沉鷙.

　嗣見敵軍陣亂曰,『行矣!』

楚軍四面馳下,呼聲撼山,倒岳,震

天地!

烏騅神馬騁如飛,

噓氣如雲遮落暉.

　登山,越水,逾險墼,

黑煙一縷刹那已入九重圍!

　馬蹄響,

寶戈揮;

　人頭落,

鮮血緋.

垓

下

歌

漢軍如潮四面至，

項王人馬，不知何處？戰場遍舞敵

旌旗！

項王直入漢軍中，

蜂腰斜繫鐵彎弓；

　一枝鐵戟橫馬首，

戈前人首馬前風；

　揚猿臂；

轉重瞳；

　衣飄忽；

鬚鬆鬆；

　單翁出入千軍陣，

意態夷如顧盼雄；

　斬將；刈旗；潰圍出；

揚鞭躍馬轉而東。

　忽聞馬後有騎追擊急，

則見漢將楊喜（赤泉侯）揚矛，插

箭，跨青驄。

六十六

王乃勒馬瞋目而叱之,
喜軍人馬辟易四走如枯蓬.
　項王回騎再東走,
按轡四顧心從容.

項王既出覓其旅,
會於山東爲三處.
　運兵神迅不可推,
儵忽已失其行所.
　漢分三路復圍之,
王再回兵按部伍.
　一鳴金,
三通鼓,
　項王催騅再向陣中行,
金戈上下幻作梨花舞.
　探囊取物上將頭,
天上神龍山中之黑虎!

旌旄深處陣雲翻,

垓
下
歌

戰鼓如雷天地喧.

　擎矛指天,百萬蛟螭空裏舞.

天風飄忽,羽旗,寶蘿,與戰幡.

　三軍叢裏忽開一血路,

項王突圍再出鎗頭熱血滴滴溫!

　回頭視其騎,

亡者祇二人.

　王乃一笑曰,『何如?』

騎皆伏曰,『敬如大王言!』

英雄一日凡九戰.

龍駒馳騁如掣電.

　龍泉出鋏吐青光;

彎弓百步射鐵箭;

　寶戈揮日落陽低;

林風忽起颭萬旍.

　漢軍愈戰軍愈多,

項王愈戰愈神變.

　烏騅既躍騰山東;

六
十
八

戈光又在水之堰；

　楚軍忽散不可尋；

旋又聚合成鐵鍊；

　蒼蒼暮靄罩天空，

人未言疲天已倦。

項王星夜走烏江，

鐵騎隨主向東行。

　掩旗疾走馳不息，

哀哉士皆負重創。

　漢軍緊尾追擊急，

兩軍登山，越水，逾大荒。

　月如水，

天隕霜，

　東方白，

露晨光。

　項王回視漢已遠，

忽聞青山彼麓水琤淙。

〔歌〕其一

垓
下
歌

『山靑靑！

水淳淳！

　飄飄乎，

一浮萍！

嗟乎！人生世上若秋螟！

老天有耳不能聽！

英雄自古苦零丁！

哀哉天下之生靈！』

〔歌〕其二

『山氣悠；

水如油；

　來江上，

駕扁舟．

嗟乎我乃水上一浮鷗！

隨波上下逐河流！

伊人何處不可求！

江波深處葬吾愁！』

七十

項王下馬撚虎鬚,
一聲長嘯將鞍扶.
　即見蘆中有櫓動,
一舟兩側繞鶩鷗.
　王再睼視江上人,
披蓑帶笠貌清癯.
　舟人微笑招其手,
櫓搖舟已抵山隅.
　『我乃烏江亭長也,
岸上莫非江左項王乎?』

項王笑而應曰『然!』
舟人點篙把舟前.
　『臣聞大王當世之俊傑,
一代之英賢.
　今得一親大王之丰采,
此乃天幸,幸勿便言旋!
　沛公一豎子,

七十一

顧亦太可憐.

　　王盍爲臣述戰事?

老臣之耳塞焉,願王一語把聾穿.

『欲我述戰事,

語君蓋如此.

　　漢王神勇眞英雄,

胸多奇計不可揣.

　　約我守信分天下,

旋又食言不屑戔戔之一紙.

　　乘人食罷叛其盟,

貪天之功爲一己.

　　此卽漢王所以報我鴻門不斬恩,

亦卽所以謝我償其父母與妻子.

　　嗚呼!信者不足憑,

言者不足恃,

　　仁足欺婦人,

恩可市諸市.

　　漢王神勇眞英雄,

七十二

今已逐我至此水!』

　項王乃大笑,

俛仰不可止.

　『我則存,亡,得,失聽諸天,

鼠竊而盜天下,可鄙!亦可恥!』

亭長縐其眉,

停櫓若有思.

　『然則沛公已窘大王矣,

王也言之一何悲?

　老臣年七十,

飽嘗世道之險夷:

　嘗見壯者憤懣死;

弄政皆小兒;

　神龍困枯澤;

堂廟宿狐貍.

　乃知造化喜弄人,

善以萬物爲戲嬉.

　王之窘於沛公也,

垓下歌

臣不疑——臣不疑.

　惟是區區一敗不足道,

王也言之一何悲?

『嗟乎!天之困人也久矣!

　人之被困於天而嘿嘿也亦衆矣!

　　昔賢悲道窮;

　忠臣放水涘;

　　涕淚問蒼天;

　鬱悒以終死;

　　天所助者順;

　天所厄者毀.

　　萬物豈皆天之芻犬耶?

　老臣則曰「亦在人之不甘自振耳!」

　　嗟乎!大王英雄,何以不以人力奪

　　天工,

　天所厄者,王則起其生而重其始?

　　天乎!天乎!奈人何?

　大王英雄,奈何一敗悲若是?』

七十四

老人仰視轉雙瞳,
豪氣如虹眉宇沖.
　按櫓回身一東指,
江雲曖曖日光瞳.
『大王盍視乎彼岸,
水縈繞;山鬱蒽;
　膏腴之地可千里,
大江之水與海通;
　物產殷饒天府國;
生靈百萬靈秀鍾.
　王今東渡去,
教養則以躬.
　十年生聚再回來,
飛鵬振翮重把九天衝.
　漢有天助,王人力,
人也持己,天則空.
　行矣大王其勉旃!
臣舟雖小夠載一英雄!』

項王拱手亭長前，

『敬謝丈人之名言！

惟念昔日渡江時，

子弟隨者有八千.

父老走而相送曰，

「戰無天下莫言旋！」

籍則率衆謝而曰，

「長者之言游子敬銘焉！」

今者子弟皆戰死，

籍乃赤手子身還.

縱彼父老憐而再王我，

籍獨何心不汗顏？

今者轉戰來此，一望江東願已足，

何必頊頊還鄉，捐廉，棄恥，鬭蒼天？

『我知丈人乃長者，

無名英雄隱田野.

愧我無物報名言，

臨行相贈惟一馬，

　此馬名驪隨我有八年，

一日能行千里龍駒也！』

　王乃回首視烏驪，

兩行熱淚如珠下．

　『驪乎！善事爾明主！

怨我牛道將爾捨！

　從此伏櫪少橫行，

不羈放騖招天惹．』

　驪也神馬識主意，

昂頭一嘶振其踝．

　馬有牢騷欲向主人申，

一張其口，嗚呼！乃知啞！

亭長接馬淚邐迤．

繼忽施施一莞爾．

　『老臣欲見英雄生，

老臣不願英雄死．

　英雄死旣勝於生，

垓　下　歌

老臣聽天不強止．

　烏騅！烏騅！隨我行！

王乎珍重！臣行矣！』

烏江之水碧如油；

漾漾清波日夜流；

　楓紅於火；山色翠；

雲氣迷濛河底留；

　晨鳥回翔枝裏噪；

山花慘怛亦悲秋．

　欸乃一聲舟去也，

荻花飛處有歌浮！

〔歌〕其三

『山有蕳；

　水有芷；

　　歸去來，

一篙水．

嗟乎老天最妒倔強子！

七十八

今天又有英雄死!

天乎天乎不足恃!

哭盡英雄我疲矣!』

〔歌〕其四

『江風微;

　荻花飛;

　　望彼岸,

草萋萋.

嗟乎無聊我欲哭烏騅!

駿骨今生受天笞!

來生莫再善騁馳!

我有鋤犁隨我歸!』

項王顧其騎曰『行!』

騎皆下馬用短兵.

　爾時追兵至水涘,

赤幟鮮明山裏颺.

　楚軍皆曰,『男兒戰而死,

勝於生而王.

　幸哉今日得死所,

願與大王來生再結緣法在戰場.』

　於是一聲噓,

聲勢頓大張.

　橫行衝敵陣,

寶劍白於霜.

　斫澳蘿,

剌澳驪.

　勇於虎,

狠於狼.

　前者踣,

後者創.

　踣者,創者再起呼『殺敵!』

長矛直貫赤心之中央.

　士有亡其臂,

亦有盤其腸.

　江干流血水,

山石滴腦漿.

嗚呼！項王戰士皆戰死！

屍身橫陳林端，水涘，山之岡！

項王神勇如天神，

單刀獨斬數百人．

　王身被創亦十餘，

創大如口血痕新，

　王乃襫其袍，

擲其巾；

　挺白刃，

虎腰伸；

　獅兒旣蹲山洞裏，

豹螭又躍水之濱，

　敵軍披靡鳥獸散，

項王突圍而走子一身．

　回視楚軍身死處，

英雄又見淚潸潸．

項王仗劍至江湄，

夕陽斜掛樹杈枝.

　雲光慘黯天欲晚,

羣鴉遶樹噪聲悲.

　凝晴一望江東岸,

長隄遮著一重霓.

　雲樹遙遙,風瑟瑟.

眼前悉是少年時.

　憶昔下相呼聚日,

少年好事騎花騎;

　酒後罵人扛寶鼎;

長歌市上擁吳姬.

　嗚呼!人生一如遠行客.

茫茫世道多嘔崎.

　家山在望客疲矣,

日莫途窮何不歸?

　項王凝視意有屬,

忽聞身後有騎驚起幾鴉鷗.

項王回首揚虎鬚,

垓下歌

則見有騎山之隅.

　其一滇將乘駿馬,

錦盔錦甲狀魁梧.

　旁有馬童執轡立,

將軍鞭勳,馬童扶.

　項王見馬童,

神目視睢盱.

　繼忽驚而曰,

『若非我故人呂馬童乎?』

崦嵫日西下,

百里皆曠野.

　項王之神威,

丹青難繪寫.

　上有百年松,

枝枯幹亦撪.

　旁有大江流,

終古長湍瀉.

　馬童面項王,

垓
下
歌

不語若喑噁.

　　繼指王翳曰,

『彼目灼灼而鬚蠆茸者,

　項王也!』

項王聞語歎曰,『吁!』

繼忽大笑失聲呼.

　『我以君爲忘卻故人矣,

嗟乎!君尙憶及項王乎?

　昔在下相市,

有子不讀書;

　擊劍未終日,

願學敵萬夫.

　君也長記憶,

曾憶八年之前江左項王乎?

　帳中斬宋義,

諸將莫枝梧.

　沉船.破釜甑,

救趙握兵符.

八十四

虜王與蘇角,

壁下獨長驅.

轅門戰馬入,

諸侯咸膝趨.

君也我故人,

尚憶鉅鹿壁下諸侯上將項王乎?

率衆西入關,

咸陽一炬屠.

回軺定東海,

萬里入版圖.

滎陽與廣武,

掃蕩一龍駒.

嗟乎!我故人!

尚憶百戰成功霸有西楚項王乎?

今則走烏江,

至窮途,

諸將死,

一身孤.

嗟乎!君固知有項王也,

抑知今之項王巳非昔之項王乎?

天道難明,人道幻,

昔者,今者,皆是曇花泡影,無一而爲
項王乎!』

王乃視河若有思,

喃喃而語音彌悲.

『嗚呼!我士卒!

嗚呼!我烏騅!

嗚呼!我父老!

嗚呼!我虞姬!

嗚呼!天旣亡我子季以天下,

我今授季天下,敬從天命不之遠!』

赤日落山阪,

水碧天悠悠.

項王招馬童,

微笑不見愁.

『故人!爾來前!

有物爲君酬！

　故人將此去，

千金萬戶侯！

　篋篋薄物幸不棄，

故人！故人！來前取我項王頭！』

項王自刎屍人立；

英雄飫死干戈載；

　河山萬里歸漢家；

功臣得賞有食邑．

　二千餘年一刹那，

楚耶?漢耶?時過境遷無人再道及．

　憑弔故人惟有江上之清風，

調調刁刁如怨,如訴,如飲泣！

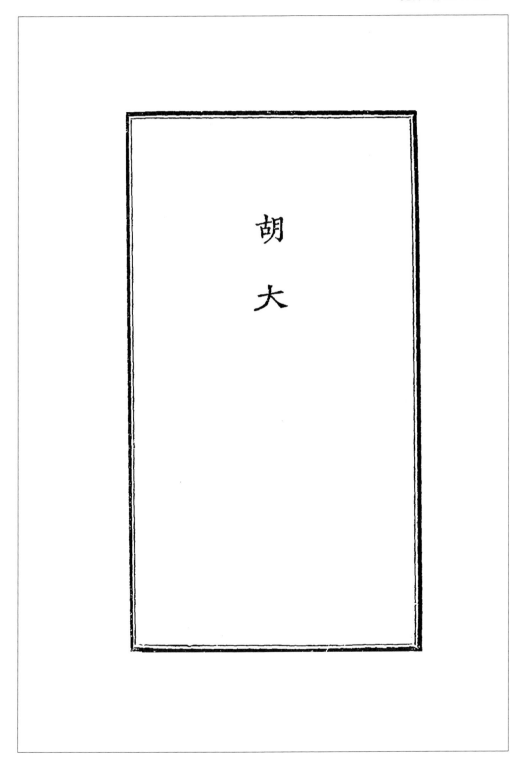

胡
大

滬音讀大曰塗．胡大，糊塗也．老耳曰，『大智若愚．』莊生曰，『至人無己，神人無功，聖人無名．』愚，糊塗也；無己，無功，無名，亦糊塗也．然則胡大殆智者乎？胡大殆至人神人聖人乎？戲得七十有八韻．

胡大

胡大胡大癡人也,
　家居大行山之野.
無父,無母,無妻孥;
　一床,一甕,一灶耳.
床頭三四古本書,
　蠹魚蝕書書撏撦;
甕故藏酒酒常乾,
　酒乾陳水水溜瀉;
灶中無米不能炊,
　餓人餓鼠相睚眦.

惟大不怨,亦不忮,
　柴扉深閉獨恣肆
夜闌拍榻唱狂歌,
　窗外日高猶酣睡.
興來攜杖進城門,

行人側目嗤以鼻.

惟<u>大</u>不問亦不聞,

　蹣跚自去丐酒食.

酒醉,食飽,賦歸來,

　月在肩頭杖在臂.

有時歌哭太無常.

　呼天,搶地,聲四揚;

蓬頭,垢面,文其身;

　絕粒不進滴水漿,

橫軀旣躺板壁間,

　飛身旋又躍上牀.

擲書擊甕,甕且碎,

　大罵世態何炎涼.

罵罷,鼓掌復大笑,

　閉目癡睡如枯僵.

<u>大</u>居鄰舍多舊知,

　鄰兒愛<u>大</u>愛其癡.

胡

大

九十四

大故孤人無子息，
　亦愛鄰兒如己兒。
時招兒輩來其居，
　己作駝馬負兒騎。
兒騎大背嬉嬉笑，
　大獻兒童滿地馳。
癡人頑兒成相識，
　追隨左右不能離。

大居大行日既久，
　鄰伴依依不使走。
春來陌上楊柳青；
　夏至同探湖中藕；
中秋月彩映飛雲；
　嚴冬罪雪爐爲友。
胡大日狂日益癡，
　癡時歌哭狂時酒。
遝邐盡識有胡癡，
　胡癡胡癡之名四佈靡論雞與狗。

胡
大

或曰,『胡大隱君子,
　　時不得志隱於此.』
或曰,『胡大佛化身,
　　塞聰,蔽明,樂天只.』
或曰,『胡大道家流,
　　一炁三清良有以.』
或曰,『胡大悲人窮,
　　接輿佯狂不可攔.』
或曰,『胡大癡人耳,
　　癡人癡囈故爾爾.』

京師王孫與鉅公;
　　富商碩賈資財雄;
名姬色藝稱雙絕,
　　翩翩纖影驚飛鴻.
耳大大名來其居,
　　求天,問卦,卜始終.
大行之野成闤闠,

九十六

車如流水馬如龍；
　蓬蒿橫插珠蝴蝶；
　　柴扉斜繫玉花驄。

大見麗姝放聲哭，
　　淚下愴然眉蹙蹙，
返身，伏地，閉雙睛，
　　嗚咽而語聲粥粥。
稱『姝妍麗勝天仙，
　　妙年贏得珠一斛。
卅年之後人與珠，
　　珠尚光明人已禿。
禿人！而來何爲者？
　　歸採青蘿補茅屋！』

大見王公掩口笑，
　　言帶謔諷語帶誚。
高坐甕口曰，『來！前！
　　聽我微言妙中妙！

胡
大

貴人，人之貴者也．
　人貴不人，貴不瘳．
廟堂巍巍荒墳耳，
　人爲子賀我爲弔．
棄位曷不從我游？
　巢林師法一鷦鷯！』

大見商人勃然怒，
　戟指大罵，『爾市賈！
聚貲，斂財，吸人脂：
　洞裏毒蛇，山中虎．
閒來盍一視窮儋？
　爾擁狐裘，儋震股．
爾有金錢我不愛，
　我無片物爾何取？
去休！去休！莫留連！
　不去我且擊爾肚！』

客聞大言咸咄咄，

九
十
八

暗罵癡人太荒悖．

紛紛四走鳥獸散，

惟大狂笑笑不歇．

狂笑不歇，大愈癡，

赤身，露踝，披散髮；

拾來破鏜作金鑼，

鑼椎高擎狗之骨．

開扉席地日光明，

以椎擊鏜而呼曰，

『人笑我癡我不辭！

我笑人癡人不知！

癡人笑罵人誰信？

人自聰明我自癡！

惟天世之大癡也！

判分兩儀劃四時！

四時變化生萬有！

萬有無有任所之！

癡乎！癡乎！天之經！

我癡！我癡！不復疑！』

胡大

一日，大忽不言語，
　焚書破灶扃居所。
踉蹌獨自向山行，
　不僻鄰伴不呼侶。
山行旬日不復歸，
　鄰人好奇結行旅。
追踪，覓迹，得仙源。
　上有青松下煙渚。
衣冠杖屨宛然在。
　人在空山不知處。

一百

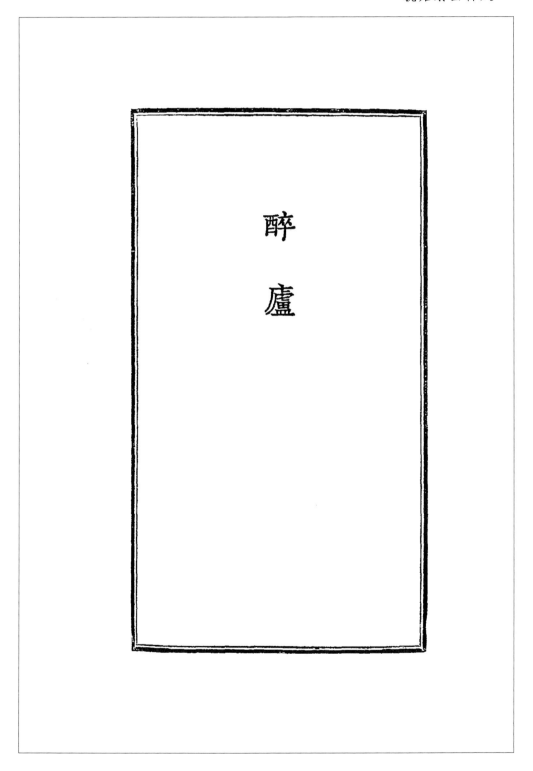

醉

廬

醉廬

東門郭外草欣欣!
犬吠,雞鳴陌上聞.
　千枝萬枝桃花樹,
花紅於火落英紛.
　過橋數武花徑折,
林端隱見酒旗紋.
　朱檻,堊垣,窗潔淨,
醉廬有酒,酒方醲.

黃昏月上露如煙;
風輕,雲淡,小春天.
　萬家燈火城中照,
葫蘆高掛醉廬前.
　壚頭燙酒文君女,
曼倩店二善周旋.
　尺許鱸魚纔釣得,

青蝦初醉味新鮮.

客有豐頰而髯者,
素巾,朱履都儒雅.
　掉頭高唱『大江東,』
滿腔豪氣如河瀉.
　歌聲上響遏行雲,
行雲如絮從天下.
　『嗟乎,還我好河山!
橫掃中原一匹馬!』

客有老俠崑崙奴,
引樽獨酌擊唾壺.
　拔劍起舞庭之中,
劍聲霍霍!風呼呼!
　寒光一道繞梁飛:
白龍出洞搶珍珠.
　舞罷,收劍,作長揖,
揚眉,微弄數莖鬚.

醉
廬

一百四

－ 112 －

飲者歌者六七人，
筵頭雜坐無主賓。
　東籬簪菊陶靖節，
燕北壯士推荊卿。
　有客英風露眉宇，
岣嶱俠骨罕比倫。
　有客巍冠岸然貌，
無懷葛天之遺民。

銅壺三滴報更殘，
月輪冉冉渡欄干。
　千巡酒過，客醉矣！
迴視女郎着意看。
　酒女不拒亦不迎，
酥胸起伏色可餐。
　客則狂笑擲杯起，
取來長鋏任情彈。

醉廬

『桃灼灼!

草離離!

風飄飄!

月遲遲!

仁哉!造物祥以慈!

魚,蟲,花,鳥皆戲嬉!

人生行樂須及時!

請以天地爲我師!

『種瓜荳!

負花鋤!

黃庭卷!

聖賢書!

一床,一甕,一竹居!

入山採藥河邊漁!

園中無事摘清蔬!

精靈渺渺遊太初!

一百六

『蓬萊島!

崑崙山！
　交趾地！
雁門關！
上探碧落，下海灣！
孑身萬里訪百蠻！
窮荒廣漠撫刀鐶！
鬢鬚斑白不用還！

『鼓爾瑟！
吹爾笙！
　山爲樽！
海爲觥！
心田曠豁心神亨！
天空朗朗牛斗橫！
歌聲嘹喨酒光明！
飲也不醉不得行！』

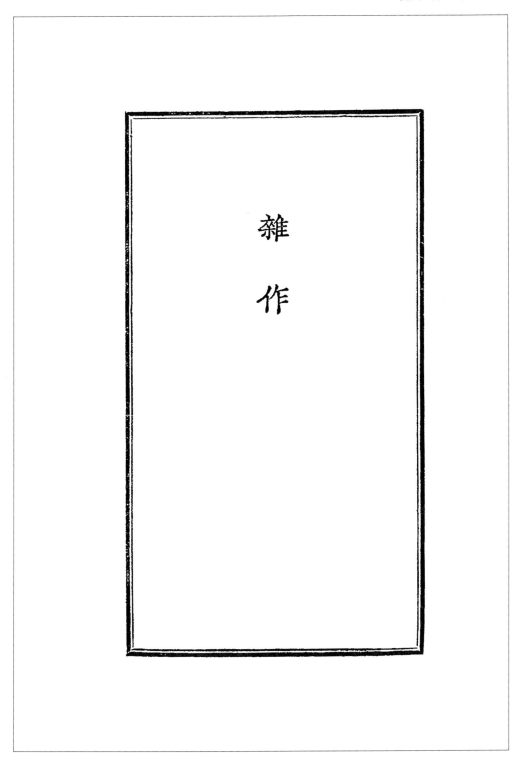

雜作

雜 作

詩人不作詩；

長日睡如癡．

　睡酣詩興來，

兀坐起叫吹．

　拍榻呼僮侍，

大罵何遲遲！

　『速將美酒來！

休得愁縐眉！』

　酒盡十大杯，

詩思如飛騅．——

　騅醉；振鬣鬃，

騰躍不可羈．

　追風捉赤日；

倏忽上九巍；

　長嘶復馳騁；

地角天之涯．

詩成酒亦醒，

筆禿毛如絲.

滿紙龍蛇舞，

塗飾不自知.

推案,起大笑,

擲筆,振襟衣.

回首呼僮侍

榻底睡蚩蚩

雜作

一百十二

獨坐長歌寄徐志摩

獨坐無所歡，

長歌夜已闌。

　萬物皆芻狗；

大地一轉丸；

　人生如朝露；

日出倏已乾；

　彭天，殤子壽，

世事如是觀。

吳姬與越娃，

爭豔墜鸞釵。

　長門獵初罷，

萬花齊笑諧。

　香消蘭玉隕，

黃葉亂金階。

　紅顏悲白髮，

傾國一枯骸.

燕地多豪客,
擊筑酣歌劇.
　報恩有匕首,
何事從鞭策?
　蕭蕭!易水寒!
彌望衣冠白!
　北門屠狗盡,
月冷英雄魄!

公子意揚揚!
飛觴宴高堂.
　客散,人影亂,
車水,馬騰驤.
　金盡,客不至.
長夜,何蒼涼!
　毷氉登堂宅,
燕雀款門牆.

將軍雄武哉！
雙臂禽巨魁．
　長征十萬里，
奏凱戰車回！
　冤盡功狗烹，
君王本雄猜．
　當年奇勛蹟，
今日禍介媒．

宰相孚威信，
朽索御八駿．
　鼎鼐慶調和，
輔弼掌璽印．
　飛災出幃闥，
朝衣投白刃．——
　體肥供炬蠟；
忠魂繞幽櫬．

休矣？何嘖嘖？
　返璞心田闢。
世界傳驛耳，
何爲自形役？
　彈鋏，賦歸來，
從此長遯迹．
　理我舊釣竿，
長嘯楚天碧。

雜作

一百十六

奚 爲

吁嗟乎!人生斯世藐焉微!

巢林鷦鷯棲一枝.

　昨日逝矣成過去;

明晨渺渺不可期.

　百歲不過三萬六千日,

壽高百歲世有誰?

　何爾世人之紛擾兮!

自戕自賊奚以爲?

君不見秦皇漢武壯威儀,

宮車晏出一何悽!

　楊妃絕色傾城國,

白楊拱墓暮鴉啼.

　金谷之園綺哉麗!

荒丘榮壘宿狐貍.

　嗚呼!自來轟轟烈烈之人不知其

幾千萬百也,

夕陽枯草幾殘碑!

雜作

高莫高於思!

大莫大於慈!

深莫深於心!

玄莫玄於微!

唯神靈之不生不滅也,

運行造化奇乎奇.

唯聲色貨利之不足恃也,

剎那過去無子遺.

嗟爾世人其知所休兮!

自戕自賊又奚爲?

一百十八

報傳山東匪變有感狂歌

身不爲王則爲寇!
　安能局促居轅下?
滿朝卿貴皆狐貍,
　蝮蛇在堂龍在野.
哀哀小民抱頭哭,
　嗚呼!此誰之過也?
已矣已矣乎!
　男兒立志貴自強!
　單刀匹馬騁八荒!
　刀放光!
　馬騰驤!
　掃盡妖氛吐氣長!
　追隨孔孟法先生!
　振衣獨立千仞崗!

YEN'S POEMS—THE FAIRY-
LAND, ETC.

BY

YEN EN CH'UN

1st ed., July, 1926

Price: $0.30, postage extra

THE COMMERCIAL PRESS, LIMITED

SHANGHAI, CHINA

ALL RIGHTS RESERVED

中華民國十五年七月初版

◎（藐姑射山神人一册）（每册定價大洋叁角）（外埠酌加運費匯費）

作　者　嚴恩椿

發行者　商務印書館

印刷所　上海商務印書館寶山路

總發行所　上海棋盤街中市商務印書館

分售處　商務印書館分館

北京　濟南　蘭谿
天津　太原　安慶
保定　開封　蕪湖
西安　南昌　奉天
吉林　南京　九江
龍州　杭州　漢口
長沙　福州　袁陽
常德　廣州
兗州　潮州　張家口
香港　重慶
成都　梧州
廬門　雲南
嘉波　新波

此書有著作權翻印必究

花木蘭文化事業有限公司聲明啓事

此次《民國文學珍稀文獻集成》出版，有賴各位作者家屬大力支持，慨然允贈版權，遂使這巨大的文化工程得以開展。本公司全體同仁在此向各位致以誠摯的謝意！

由於民國作者人數眾多，年代久遠且戰火頻繁，本公司傾全力尋找，遍訪各地，能夠找到的後人，得其親筆授權者，爲數甚寡。更多的情況是，因作者本人下落不明，連版權情況都無從知曉。

因此，本公司鄭重聲明：

此叢書所錄專著，凡有在版權期內而未授權者，作者家屬可與本公司聯繫，本公司願奉送相關贈書 50 冊爲報酬，補簽授權協議。

望家屬看到此通知後與本公司聯繫。聯繫信箱：hml@vip.163.com

花木蘭文化出版社

2021 年秋